KB104983

4학년 아이들의 빛나는 이야기

4학년 아이들의 빛나는 이야기

발 행 | 2023년 12월 14일
저 자 | 송이진 이루미 이서율 이시우 최서연 피예나
펴낸이 | 한건희
펴낸곳 | 주식회사 부크크
출판사등록 | 2014.07.15.(제2014-16호)
주 소 | 서울특별시 금천구 가산디지털1로 119 SK트윈타워 A동 305호
전 화 | 1670-8316
이메일 | info@bookk.co.kr

ISBN | 979-11-410-5900-2

www.bookk.co.kr

2023 남양주샛별초 4학년 책 출판 프로젝트

CONTENT

2023년 샛별초 4학년 1반 친구들에게

유난히 밝은 아이들이 모여있는 4학년 1반 친구들이 **'나를 사랑하고 너를 이해하며 함께 성장하는 어린이'**가 되길 바라는 마음으로 한 해를 보냈습니다. 올 한해 함께 했던 다양한 체험활동을 마치고 쓴 글들을 그냥 버리기엔 너무 아깝다는 생각이 들어 우리 친구들의 이야기를 이 책에 모아 보았습니다. 이 책을 통해 자신의 4학년 시절을 추억하며 새롭게 시작할 힘을 갖길 바랍니다. 살아보니 어릴 적 추억을 간직하고 있는 사람들은 나름의 순수함을 갖고 긍정의 힘을 발휘하고 있더라구요.

사랑하는 1반 친구들,

우리 1반 친구들도 시간이 흐르면 초등학교, 중학교, 고등학교를 졸업하겠지요? 어떤 모습으로 성장하게 될지는 아무도 알 수 없지만 이 책을 보며 4학년 시절을 추억할 수 있다면 너무 좋겠어요.

돈을 많이 벌어도 좋고, 공부를 많이 해도 좋고, 우리나라를 대표하는 선수들이 되어도 좋겠어요. 하지만, 공부를 좀 못해도, 돈을 좀 덜 벌어도, 그렇게 이름있는 자리에 나아가지 않아도 괜찮습니다. 중요한 건 몸과 마음이 건강한 어른으로 성장하는 것입니다.

자신을 사랑하고 이웃을 살필 줄 알며 자신에게 주어진 일들을 성실하게 해낼 수 있는 사람이면 충분하겠지요?

몸과 마음이 건강한 사람!

그런 멋진 어른이 되어 나중에 다시 만나도 행복할 것 같습니다.

한 해 동안 함께 생활할 수 있어서 감사했습니다. 사랑합니다~

2023년 12월에 정은미 선생님이

제1화 송이진 작가의 이야기

1. 여름방학 이야기

해가 쨍쨍 비치는 학교 운동장
단 2명…
너와 나

널 쫓아다니는 나는 땀이 뻘뻘
너는 목이말라 헥헥..

우리 그만 집에 가자!!!!
루루야..^^

2. 토푸의 모험

2099년 어느 마을에 '토푸'라는 두부가 살았다.
그러던 어느 날 토푸는 낌치를 만났다. 낌치씨가 너무 부러웠다. 왜냐하면 낌치씨가 인기가 많았기 때문이었다. 그래서 토푸는 낌치씨를 찾아 나섰다. 토푸는 낌치씨에게 인기가 많아지는 법을 배우고 싶었다. 하지만 낌치씨는 결국 찾을 수 없었다. 실망한 채로 토푸는 시무룩한 모습으로 집에 돌아가고 있었다.

그때 어떤 비빔밥과 부딪쳐 넘어졌다. 비빔밥은 신음을 내면서 일어났다. 그리고는 토푸에게 손을 내밀어서 일으켜 주었다.

그리고 토푸는 비빔밥에게 죄송하다는 말을 하고 다시 자리를 떠났다.

그 순간 비빔밥이 말을 걸어왔다. 그리고는 물었다.

"왜 그렇게 시무룩하니?"

"아…. 그게 사실 ………………"

"난 인기많은 낌치씨를 만나기 위해 찾으러 가는 길이었어. 낌치씨를 만나서 어떻게 하면 인기가 많아질 수 있는 지 물어보고 싶었거든. 난 너무 흐물흐물하고 색도 예쁘지도 않고 사람들이 별로 좋아하지도 않아. 그래서 낌치씨가 너무 부러웠어. 낌치씨를 만나게 된다면 나도 좀 멋지게 달라지지 않을까 하는 기대가 있었는데……."

그렇게 토푸는 비빔밥에게 모든 사실을 털어놨다.
그러자 비빔밥이 말했다.

"넌, 너 그 자체로 특별해. 그리고 네 장점이 얼마나 많은데"

3. 패스트 브랜드 옷을 입어도 된다

저는 '패스트 브랜드 옷을 입어도 된다'에 반대 합니다.
패스트 브랜드 옷이란 유행에 맞춰 한 번에 대량 생산하는 옷을 말합니다. 패스트 브랜드 옷은 값도 싸고 예쁘게 때문에 인기가 많은데요.
하지만 이 패스트 브랜드 옷 문제가 있습니다.
패스트 브랜드 옷은 한 번에 대량 생산하기 때문에 팔리지 않고 남은 옷은 버려지고 옷을 만들 때는 많은 물도 오염되기 때문에 우리 지구에 환경이 오염되는 안 좋은 영향을 끼치게 됩니다.

4. 조선의 마지막을 함께한 고종

저는 조선의 마지막을 함께한 고종이라는 책을 추천합니다.
왜냐하면 이 책에서는 고종의 어릴 때부터 어른이 될 때까지의 내용을 담고 있기 때문입니다.
살짝 아쉬운 것은 쪽수가 조금 길어서 읽기에는 부담이 되기도 했습니다. 내용은 좀 길긴 했지만 그래도 좋은 지식을 얻은 것 같아 좋았습니다.
지금까지 조선의 마지막을 함께한 고종이라는 책을 추천해 드렸습니다.

5. 엘리멘탈 영화감상문

전 이 영화를 적극 추천 합니다.
이 영화는 불과물 서로 반대 원소인 둘의 러브코미디를 담은 영화이기 때문입니다. 그리고 바람, 흙 등 다른 2가지 원소도 있습니다. 전 그 중 불의 원소가 가장 인상 깊었습니다. 왜냐하면 디테일이 엄청났기 때문입니다. 다른 원소들도 디테일이 좋긴 했지만 진짜 불이 엄청났기 때문입니다.

또, 이 영화는 이민자들이 몰려왔던 1900년대 미국을 보는 것 같았습니다. 왜냐하면 원래 물의 원소가 살던 곳에서 다른 원소가 오고 또 다른 원소가 왔기 때문입니다. 약간 이주자라고 생각하면 됩니다. 그중 불의 원소가 가장 마지막으로 왔습니다. 하지만 불의 원소는 위험하다는 이유로 다른 원소에게 차별받았습니다. 그래서 불의 원소들이 모여서 만든 작은 마을이 파이어 타운입니다.

이 영화의 여주인공 이름은 엠버, 남자주인공의 이름은 웨이드입니다. 지금까지 엘리멘탈를 소개해 드렸습니다.
내용을 살리는 그림도 좋고, 4개의 원소를 등장시킨 스토리도 너무 좋은 것 같아서 저의 베스트 영화였습니다 .

6. 스플라스 리솜이라는 리조트에 다녀와서

8월 10일, 예산에 있는 스플라스 리솜이라는 리조트에 다녀왔다. 거기는 한번 가봤던 데라 친숙했다. 거긴 수영장이 실내, 실외까지 있어 엄청 넓었다. 하지만 그런데도 그날은 공연이 있어 사람이 진짜 많았다. 다행히 그 다음날은 사람이 훨씬 적어서 안심했다.

나는 실외에 있는 파도풀을 가장 좋아하는데 공연 때문에 하지 않아 좀 아쉬웠다. 그래도 다른 재밌는 게 있었기 때문에 재밌긴 했다. 집에 돌아가야 할 때 한 번 더 가고 싶다는 생각이 들었다.

7. 책 먹는 여우 아저씨께

안녕하세요?

저는 경기도에 사는 4학년 송이진이예요. 전 여우 아저씨에게 물어보고 싶은 게 있어서 편지를 썼어요.

여우 아저씨,

여우 아저씨는 책 먹는 걸 좋아하잖아요. 책이 오래되면 책벌레가 생기는 아시죠? 혹시 그 책벌레를 먹어본 적 없어요? 만약에 먹어봤다면 무슨 맛이에요? 그걸 너무 물어보고 싶었어요. 그리고 두 번째는 책은 무슨 맛이에요?

저도 어릴 때 책을 씹어본 적은 있거든요. 근데 막 맛있는 맛은 아니었던 거 같은데…ㅎㅎ

마지막은 여우 아저씨는 어쩌다 책을 좋아하게 됐어요?

가난해서? 아님 고기가 질려서?

이게 제 질문이었어요. 만약 이 편지를 본다면 꼭 알려주세요. 꼭!

그럼 안녕히 계세요.

2023년 8월 15일 송이진 드림

8. 소설

옛날에 한 마을에 도도새가 살았다.
그 도도새의 이름은 도도였다. 그 도도새는 하늘을 나는 게 꿈이었다. 그 다음날 도도는 결심했다.
'하늘을 날아보자!'
그렇게 도도는 양 날개에 나뭇잎을 붙이고 높은 지푸라기 위에 올라갔다. 그리고 하나, 두울, 세엣! 도도가 뛰어올랐다.
그러나 슉~ 하는 소리와 함께 떨어졌다. 그 뒤 도도는 정신을 잃었다. 이틀 뒤 도도는 일어났다. 도도는 깜짝 놀랐다. 왜냐하면 처음 보는 침대, 처음 보는 벽, 처음 보는 사람까지 있었기 때문이다. 그리고 처음 보는 사람이 말했다.
"드디어 깨어나셨군요…."
도도는 정신이 얼떨떨했다. 처음 본 사람이 말했다.

“아, 도도씨는 이틀간 정신을 잃으셨습니다. 저는 의사고 여긴 병원입니다.”

그러자 도도가 말했다.

“네? 제가 이틀간요?”

“네, 그러셨습니다.”

“헉 !”

그일 뒤로 도도는 비행기를 발명하게 되었다.

9. 만복이네 떡집

저는 만복이네 떡집이라는 책을 추천합니다.
왜냐하면 이 책의 이야기가 너무 흥미롭고 신기하기 때문입니다.
예를 들어 떡에 무슨 능력이 있는 것도 그렇고 떡 배달원이 꼬랑쥐이기 때문입니다.
이 책의 이야기는 만복이라는 아이가 떡을 먹고 자신의 문제를 헤쳐 나가는 이야기입니다.
그러므로 전 이 책을 추천합니다.

10. 길고양이 밥을 주어야 한다

저는 길고양이 밥을 주어야 한다고 생각합니다.

그렇게 생각하는 이유는

첫째, 고양이한테 밥을 주면 굶어 죽는 개체가 줄어들기 때문입니다.

둘째, 고양이에게 밥을 주면 쥐들을 잡아 쥐의 숫자가 줄 수 있기 때문입니다.

마지막으로, 길고양이에게 밥을 주면 조금이라도 지구 생테계에 조금이라도 도움이 되기 때문입니다. 아마도 먹이사슬 때문이 아닐까요? 좀 징그럽게 생각되는 곤충이 사라지면 안되는 것처럼......

11. 학교 바자회

학교 안 체육관
사람으로 북적북적
내 주머니 속 지갑은 텅텅 비었다
그런 나의 마음도 텅텅
집에 돌아가는 나의 발걸음도 텅텅
엄마가 차려주신 밥상은 북적북적
다시 나의 마음도 북적북적
행복으로 가득하다!!!!

12. 우리집 강아지 루루

이리 봐도 저리 봐도

복슬복슬 하얀 털

보들보들 흰 털 사이로 나는

향긋한 냄새

보석 같은 동그란 검은 눈

난 우리 집 강아지가 좋다 !

루루야^^

13. 여름에 가장 맛있는 아이스크림

시원하고 달콤한 아이스크림

보는 것만으로도

행복한 아이스크림

아….

100원만 더있으면 먹을수 있을텐데…

100원 어디 없나 ?

아쉽다…. ㅠㅠ

제2화 이루미 작가의 이야기

1. 문화예술공연

첫 번째로 송어라는 곡을 들었다.

처음 들어본 곡이지만 노래가 좋아서 왜인지 모르게 어디서 들어본 것 같은 느낌이 들었다.

그리고 '언제나 몇 번이라도'라는 곡을 들었다.

피아노로 많이 쳤던 곡이지만 여러 악기들이 합주를 하니 노래가 더 좋아진 것 같았다.

그리고 마지막에 '회전목마'라는 곡을 들었는데, 애들이 '앵콜'이라고 해서 잘 듣지 못한 부분을 더 잘 들을 수 있어서 좋았다. 피아노, 콘트라베이스, 바순, 호른, 바이올린, 오카리나 등등이 함께 연주를 했다.

악기를 혼자서 연주하는 것보다 다른 사람과 함께 연주하는 것을 들으니 신기하고 재미있었다.

2. 비오는 날

비가 온다
비는 왜 오는 걸까?
비는 내 옷과 가방 신발 양말을 다 적신다
바닥에 지렁이 달팽이 등이 기어 다닌다
달팽이가 귀엽다
"비야 네가 나쁠 때도 있지만
귀여운 달팽이를 볼 수 있게 해 주어서 고마워"
라고 비에게 말해 주고 싶다.

3. 상상의 축구 이야기

오늘은 축구 경기가 있는 날이다.

복숭아가 말했다.

“오늘 우리가 꼭 이겨야해!”

그러자, 앵두가 말했다.

“그래, 우리가 꼭 이기자!”

경기가 시작되었다.

삑~~~~!

경기중…..

자두가 5골, 앵두가 3골, 8골을 넣었다.

다른 팀은 5골 밖에 넣지 못했다.

자두와 앵두가 말했다.

“거봐, 우리는 당연히 해 낼 거라고 믿었어. ”

4. 나무를 명하다

처음에는 '나무를 명하다'가 무엇인지 몰랐는데 친구들과 함께 나무 이름표를 색칠하고 걸어주러 가는 줄 알았는데 비가 와서 좀 실망했다.

하지만 '나무를 명하다'라는 체험으로 나의 나무(산딸나무)가 생겨서 기분이 좋았다.

5. 지진, 화재 대피 훈련을 마치고

2교시 5분 전에 사이렌이 울렸다.

정말 같아서 좀 무서웠다. 그런데 하다 보니 재미도 있었다. 책상 밑으로 숨은 후 밖에 머리를 보호하고 입과 코를 옷으로 막은 후 대피했다.

이게 실제 상황이라면 무서웠겠지만 훈련이니 괜찮은 것 같았다.

운동장에 가서 소방관분들을 보니 대단하시다는 생각이 들었다.

6. 방 청소

쓱싹 쓱싹 방 청소.

청소를 하고 나면

반짝 반짝 빛이 나는 것 같다.

나는 청소를 하고 나니

기분이 좋아진다.

7. 동춘 서커스

동춘 서커스를 보았다.

올해 99주년이라고 한다.

햄스터 쳇바퀴 같은 게 돌아가는데

그 위에 사람이 줄넘기를 하는 게 신기했다.

두더지가 풍선을 나누어 주는데 못 받아서 아쉬웠다.

다음에 또 가고 싶다.

8. 사촌 친구

사촌 친구를 오랜만에 만났다.
오랜만에 만나서 기분이
날아갈 것 같이 정말 좋았다.
사촌 친구와 같이 놀고,
이야기도 하고
또 보고 싶은 사촌친구
친구야, 친구야
다음에 또 만나자.

9. 뱀

뱀은 무섭다.

뱀이 스르륵 하고 지나간다.

앉아있다가 후다닥!

도망을 간다.

뱀은 다시 생각해 봐도 정말 무섭다.

10. 난 이럴 때 기분이 좋아!

어느 날 친한 친구가 이렇게 물었습니다.

"넌 뭘 할 때 기분이 좋아?"

나는 이렇게 대답을 했습니다.

"나는 가족들과 여행을 갔을 때가 기분이 좋아.

왜냐하면 여행을 갔을 때 바다에서 돌고래를 보고 수영도 했기 때문이야."

여행 이야기도 들려주었다.

"여행을 갔던 건 작년 겨울방학이었고, 엄마, 아빠, 동생이랑 같이 괌을 갔었어. 그런데 음식이 나한테는 맞지 않아서 잘 먹지 못했어"

11. 나라마다 다른 문화 예절

오늘은 창체시간에 손으로 나누는 인사도 나라마다 다른 뜻을 가진다는 것을 알게 되었다. 예를 들면 우리나라에서는 '승리'라면 다른 나라에서는 욕 일 수 있다. 우리나라에서는 손등이 위로 가면 사람을 부르는 의미이고 손바닥이 위로 가면 강아지를 부르는 것이라고 한다, 하지만 러시아에서는 반대의 의미라고 한다.

세계 여러 나라의 문화나 풍습에 대해서도 알게 되었다.

미국에서는 자격증만 있다면 누구나 총을 소지할 수 있다는 것을 알게 되었고. 스페인어는 여러 가지라는 것도 알게 되었다. 그리고, 우리나라에서는 밥그릇을 놓고 먹어야 하지만 일본은 반대로 들고 먹어야 한다. 그리고, 독일에서는 자신보다 나이 많은 사람 앞에서는 팔꿈치를 내리거나 올리면 안된다는 것을 알게 되었다. 그리고, 일본에서는 지하철에서 통화를 하면 안되고, 또 다른 나라에서는 택시비의 15%~25%를 줘야 한다는 것을 알게 되었다.

12. 감기

감기는 아프다.
감기에 걸리면
에취!
기침도 나고
약도 먹어야 한다.

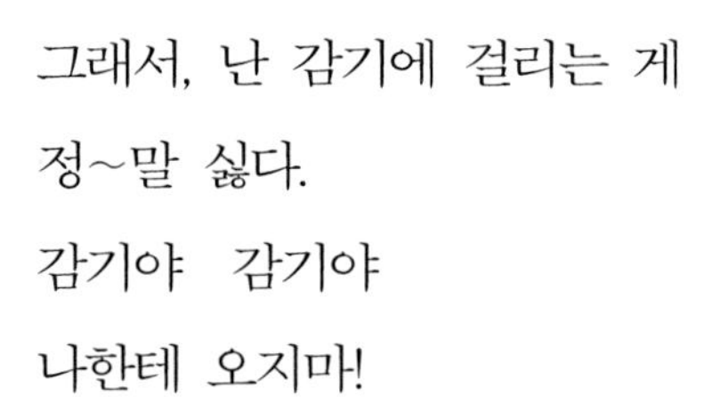

그래서, 난 감기에 걸리는 게
정~말 싫다.
감기야 감기야
나한테 오지마!

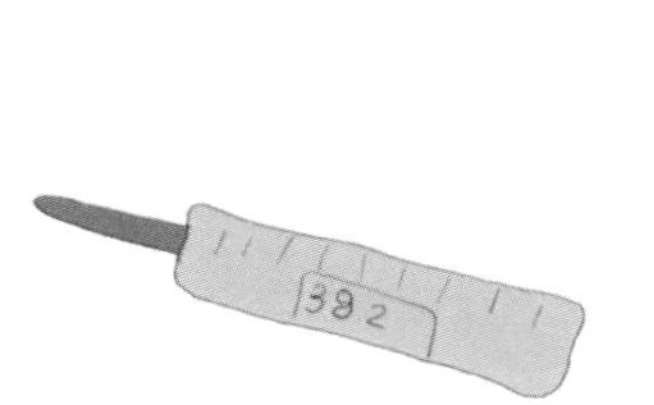

13. 수영장

수영장에서 수영을 했다.
첨벙첨벙
소리가 난다.

잠수도하고
물 위에도 떠 있는다.
튜브에도 앉아 있는다.

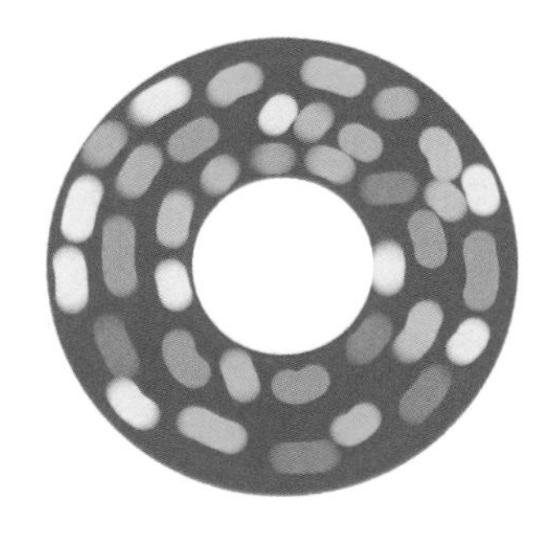

물에 빠지면
코에도 물이 가득
코가 아팠다.

수영은 언제나 재밌다.

14. 옥수수

옥수수는 노랗다.

나는 노란 색하면
따뜻한 옥수수가 생각이 난다.

옥수수는 정말 맛이 있다.

따뜻한 옥수수가
계속 생각이 난다.

옥수수는
볼록 튀어나와 있다

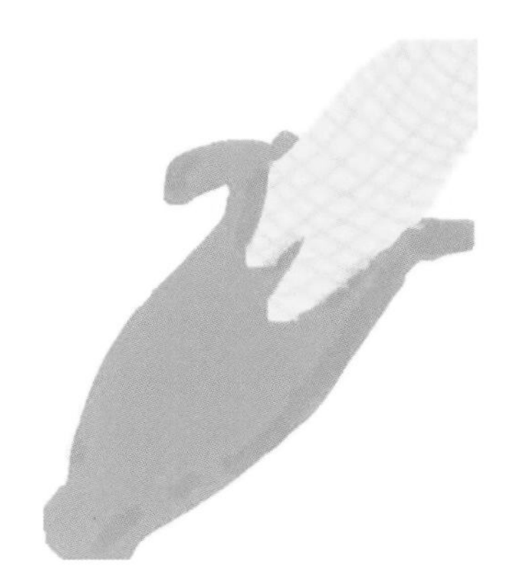

15. 우리의 행복한 미래

미래의 도시에서는 버스도 지하로 다니고 택시와 자동차는 하늘을 날아다닌다. 그리고, 도로 아래에는 자동차들이 충전할 수 있는 수소충전소와 전기차 충전소도 따로 있다. 수소차와 전기차를 충전할 수 있는 가격이 더 저렴해져서 이용이 편리해진다. 미래에는 버스도 지하도로로 다니게 되어 사람들이 소음 걱정이 사라져 행복한 도시가 될 것이다.

제3화 이서율 작가의 이야기

1. 바른 청소 교실 수업 참여소감

바른 청소 교실 수업을 한다고 했을 때 처음에는 별로 하고 싶지 않았다. 그리고 '재미없겠다'라고 생각했다.

그러나, 바른 청소 교실 수업을 듣고 나니까 내가 왜 방청소를 못했는지, 왜 치워도 더러운 지 알게 되었다. 바른 청소 교실 수업을 해주시는 선생님의 첫인상을 보니까 딱 친절해 보이셨다. 그런데 진짜로 수업을 해주셨는데 친절하셨다.

다음에 기회만 된다면 바른 청소 교실 수업을 또 듣고 싶다. 아주아주 재미있었다. 수요일마다

바른 청소 교실 수업이 들어있었으면 좋겠다.

너무 재미있었다.

2. 아이스크림 그림

지난 여름 미술학원 선생님께
아이스크림 그림을 그리고 싶다
고 말했다. 선생님께서 그려도 된다고 말씀하셨다.

나는 내가 원하는 그림이니까 원래보다 더 열심히 해야겠다는 생각이 들었다. 그래서 나는 열심히 아이스크림 그림을 그렸다. 시작하려고 하니 조금 후회됐다. 너무 어려워 보였다. 그래도 열심히 했다. 스케치를 다 하고 나선 연필 색연필로 색칠을 했다. 난 선생님의 도움 없이 색칠을 끝냈다. 끝나니까 엄청 뿌듯했다.

"서율이는 다른 것도 잘하는데, 색연필로 색칠하는 거에 재능이 있구나! "

선생님께서 이렇게 말씀해주셔서 나는 엄청 기뻤다.
사실 우리 미술학원에서는 밖에 그림을 전시하는데, 거기에 내 그림이 총 4개가 걸려 있다. 뿌듯하다.

3. 문화예술공연

학교 체육관에서 2교시에 문화예술공연을 관람했다. 문화예술공연이 별로 기대되지 않았는데 공연을 보고나니까 생각보다 괜찮았다. 바닥에 방석을 깔고 앉아서 관람하는 것만 빼면 좋았다. 다 좋았지만 그 중에서 가장 기억에 남는 것은 '인생은 회전목마'였다.

악기 중에서 가장 기억에 남았던 악기는 '바순'이었다. 바순은 길고 약간 연한 갈색과 은색이 섞여 있다. 그리고 하나 더 기억에 남는 악기는 호른이었다. 호른은 약간 둥글고 금색이다. 그리고 사회자분이 연주자분들과 함께 연주를 하셨다. 사회자분께서 연주하신 악기는 '오카리나'였다. 오카리나는 1학년 때 한번 연주해 봐서 알고 있었는데 아는 악기가 나와서 좋았다.

연주를 해 주신 모든 연주자 분들께 감사하다는 말을 하고 싶다.

4. 나무를 명하다

저번에 '나무를 명하다' 체험을 했다.
체험을 하니까 우리 학교에 많은 나무들이 있다는 것을 알았다. 나의 나무를 고르기 위해 쪽지를 하나씩 뽑았다. 쪽지를 펼쳤더니 나무 사진이 하나 있었다. 내가 뽑은 나무는 백송이였다.
내 짝은 섬잣나무였고 내 뒤에 친구는 단풍나무였다. 내가 뽑은 나무 이름이 새겨져 있는 표지판을 만들었다. 나는 나무, 백송, 새 한 마리를 그렸다. 그리고 표지판을 달 백송 나무를 찾았다.
 나무를 찾아서 비가 안 올 때 표지판을 걸기로 했다.

5. 지진, 화재 대피훈련을 마치고

9시 45분에 곧 사이렌이 울린다고 방송에 나왔다. 잠시 뒤에 사이렌이 울렸다. 먼저 지진대피 훈련을 했는데 책상 밑으로 숨었다. 사이렌이 울리니까 사실 좀 무서웠다. 그다음 화재대피훈련을 했다. 1교시에 수업하고 있던 국어책을 갖고 빨리 복도로 갔다. 국어책을 머리 위에 올리고 한 손은 입을 가렸다. 1학년부터 6학년까지 모두 운동장으로 모였다. 줄을 서고 잘 보이진 않았지만, 남자분께서 설명을 조금 해주신 다음에 소방관 한 분께서 나오셔서 반 대표를 앞으로 나오라고 말씀하셨다. 소화기 사용법을 알려주시면서 대표가 사용해보았다. 모두 한 다음 지진, 화재 대피 훈련을 마쳤다.

6. 밸런스 게임

동생과 나는 밸런스 게임을 했다.
나는 여름 대 겨울이라고 말을 했다. 동생은 여름 나는 겨울이라고 말했다. 동생에게 왜 여름을 골랐냐고 물어봤다.
동생은
"물놀이를 할 수 있고, 물총놀이도 할 수 있잖아. "라고 말했다. 나에게도 동생이 왜 겨울을 골랐냐고 물어보았다.
그래서 나는
"겨울에는 더우면 잠바를 벗을 수 있지만, 여름에는 덥다고 벗을 수도 없고, 내 생일도 있고, 여름은 너무 더워. "라고 말했다.

7. 미니 올림픽

오늘 친구 사랑의 날이어서 학교에서 미니 올림픽을 했다. 기대가 됐는데 기대된 만큼 재밌었다.
종목은 창 던지기, 양말 빨리 벗기, 핸드볼, 컬링, 농구, 팔씨름, 허벅지 싸움을 했다. 그리고 마지막으로 뻥튀기로 하트 만들기를 했다 뻥튀기로 하트 만들기는 단체 전이였는데 사실 하트 만들기는 엄청 어려웠다. 그런데 하트를 만든 친구들이 꽤 많이 있었다. 모든 점수를 합치면 30점이었다. 아쉽게도 2등을 했다. 1등을 한 친구들은 33점이었다.
너무 재미있었다.
다음에 또 하게 된다면 오늘 한 거 보다 더 열심히 할 거다.

8. 2학기 임원선거

학급 임원선거를 한다고 해서 수요일에 열심히 생각을 했다. 어떻게 하면 애들이 나를 뽑아 아줄까? 생각이 나서 연설문을 적었다. 나는 내가 나름 잘 썼다고 생각했다.

다음날 2교시에 학급 임원선거를 했다. 후보는 내 생각보다 많았다. 연설문을 듣고 나서 회장을 뽑았다. 회장은 나와 친한 친구가 되었다. 나는 1학기 때 부회장이어서 부회장 선거에 참여할 수 없었다. 누구든 잘할 거 같은 사람을 뽑았다. 여자 부회장은 나와 친한 친구가 되었다. 남자 부회장은 작년에 나와 같은 반이었던 친구다. 나도 회장이 되고 싶었지만 안돼서 조금 아쉬웠다. 그래도 나는 회장, 부회장이 된 친구들을 축하해주었다!

9. 문화 차이

오늘 창체시간에 다문화교육을 했다. 시작할 때 영상을 하나 보았는데 한사람이 손짓을 잘못 이해해서 오라는 걸 가라고 알아들었다. 그래서 사람들과 어울리지 못했다. 이번에 우리나라와 손짓의 의미가 다르다는 걸 알았다. 스페인에서는 지역마다 언어가 다르다는 걸 알았다. 점심 먹고 무조건 낮잠을 자야 하고 하루에 5끼를 먹어야 한다. 일본에서는 택시가 자동으로 문이 열리고, 밥 먹을 때 밥그릇을 들고 먹어야 한다. 독일에서는 할머니 앞에서 밥을 먹을 때는 팔꿈치를 내리고 먹어야 한다. 미국에서는 자격증만 있으면 누구나 총을 쏠 수 있다. 그리고 무조건, 5%~25% 까지 팁을 줘야한다. 이런 식으로 정말 많이 다른 문화들이 있는 게 나는 너무 신기했다.

나는 더 많은 다른 나라 문화를 알고 싶다.

10. 비오는 날

주룩주룩

비 내리는 날

난

비오는 날 좋아

툭툭툭툭

비가 계속 오는 오늘

비야!

계속 와 줘!

11. ㅇㅈ이 들어간 단어 두개로 문장 만들기!

(우정) (우주)

친한 친구와 오랫동안 우정을 유지하고 싶다.

우주를 한 번 보고 싶다.

12. 괜찮아.

안녕!

나는 과거에서 온 너야.

곧 태권도대회잖아!

금메달 은메달 동메달 아니어도 괜찮아.

그래도 금메달 따 ㅎㅎ

짜증나는 일,

힘든 일 한 번 찾아보자!

항상 행복해! 안녕~

13. 누리호 발사 성공 !

2023. 5. 25.

누리호가 세 번째로 발사되었다.

8시에 발사가 성공하였다고 한다.

난 모르고 있었는데 우리나라 정말 대단하다.

정말 신기했다.

우리나라는 멋지다는 걸 다시 깨달았다.

14. 당연히 해 낼 줄 알았어

어느 날 친구와 나는 예쁜 그림을 그리고 있었다.

그런데 친구가 나에게 말했다.

“너무 너무 어려우니까 포기하자.”

나는

“안돼.”

라고 말했다.

1시간 뒤 우리는 그림을 완성했다.

나는 말했다.

“거봐, 우리가 당연히 해 낼 줄 알고 있었어.”

15. 내가 생각하는 미래도시

환경이 좋아지려면 나무가 많이 있어야 한다고 생각해서 화분과 땅에 나무도 많이 심었다. 핸드폰 무료 충전소를 10분 안에 충전을 해준다. 기다리는 동안 카페에 가서 쉬기도 하고, 윗 층에서 밖을 구경하며 쉴 수도 있다. 주황색 탑은 시간도 알려주고 배도 탈 수 있다. 쓰레기 분리수거하는 곳도 있다. 미래에는 좋은 환경이 되도록 모두 노력해야 한다.

제4화 이시우 작가의 이야기

1. 난 이럴 때 기분이 좋아!

어느 날 친한 친구가 이렇게 물었다.

"넌 뭐할 때 기분이 좋아? "

잠시 고민한 다음, 나는 이렇게 대답했다.

"나는 게임할 때가 가장 좋아. 최근에 한 게임은 톰골드런이야."

"나는 주말에 아빠가 오랜만에 쉬어서 재미있게 놀았어. 아빠랑 게임도 하고 같이 미니어처 만들기도 하면서 주말을 지냈어. 게임은 마리오카트를 했어. "

아빠가 이렇게 말했어.

"시우랑 함께 게임도 하고 미니어처만들기도 해서 재밌어."

"나도 아빠랑 함께 만들기도 하고 게임해서 좋았어요."

라고 말했다.

아빠랑 함께 많은 것들을 하니 좋았다.

2. 물건으로 나를 표현한다면?

어느 날 선생님께서 이렇게 말씀하셨다.
물건으로 나를 나타낼 수 있을까요?
내 주변을 살펴보며 나를 설명을 할 수 있는 물건을 네가지를 찾아보고 그 물건으로 나를 설명하는 이유를 써보세요.

가위, 연필, 지우개, 쓰레받기 등입니다.
이유는 내가 공부할 때 필요하고, 내가 아끼는 것이기 때문입니다.

3. 미니올림픽

처음 미니올림픽을 하니 재미있었고 신이 났다. 시끄러워서 정신이 없었지만 올림픽을 한다고 하 니설레었고 신이 났다. 우리팀이 1등이 아니어서 슬펐지만 정정당당하게 경기해서 좋았다.
나는 농구게임이 제일 재미있었다.
농구게임이 가장 기억에 남을 것 같은 게임이었다. 33점인 6모둠이 1등이다
부럽지만 정말 잘한 것 같다.
우리팀은 28점인데 조금만 잘하면 우리팀이 1등이 되었을 텐데 아쉬웠다.
정말 신나고 재미있는 미니올림픽이었다.

4. 나무를 명하다

나는 처음에 나무를 名하다의 뜻이 나무를 원하다 라고 생각했다. 한자로 써있어서 잘 몰랐다. 한자 공부를 해야겠다고 생각했다.

처음 했는데도 재미있었다.

나는 오늘 수업을 듣고 많은 걸 배우고 알게 되었다. 나무의 이름도 알게 되어서 나무의 이름표를 만들어서 걸어주니 뿌듯하고 좋았다.

내 나무의 이름은 '백송' 이라는 나무다.

백송이랑 친하게 지내고 싶다.

오늘 수업은 나한테 정말

재미있었고 도움이 됐다.

또 하고 싶었다.

5. 누리호 3차 발사

누리호가 날아가는 것이 멋있다.
누리호를 보니 멋있다.
나도 누리호처럼 멋지게 날아보고 싶다.
누리호가 엄청 빨리 날아가니 신기하고 멋있다.
누리호가 지금처럼 사고나지 않고 잘 날아가면
좋겠다.

6. 비오는 날

오늘은 비가 온다.
주룩주룩 오는 비
비오는 소리가 듣기 좋다.
그런데 조금 시끄러웠다.

나는 비가 오는 게 좋다.
그런데 무서울 때도 있다.
특히 밤에는 너무 무섭다
번개치면 더 무섭다
그래도 비는 착하다

비야, 고마워

7. 미래의 나에게 보내는 편지

어느 날, 미용사가 꿈인 아이가 연습을 하고 있었어.
아무리 연습을 해도 실력이 나아지는 것 같지 않았어.
그러던 중 갑자기
"나는 미용사가 자격이 없어. 미용도 못하고 착하지도 않아.
"
라고 말했다.
마침, 미용실 주변을 살피던 요정이 그 모습을 발견하고 다가왔지.
" 아니야, 아이야. 넌 할 수 있어. " 라고 말했어.
그 말에 용기를 얻은 미용사가 다시 미용 연습을 시작했어.
멋진 머리를 해냈어.

"거봐, 우리는 당연히 해낼 거라고 믿고 있었어. "

8. 초성을 보고 생각해 낸 단어 만들기

초성 ㅇㅈ 이 들어간 단어 2개

(인정), (안전)

인정:도덕의 삶을 인정받아야 한다

안전:안전이 최우선이다

9. 매미

맴맴맴맴

여름을 알려주는

매미

너무 너무 시끄러운

매미

그런데 여름을 알려줘서

착한 매미

조금만

작게 울어줬으면

좋겠다

10. 나에게 상처 주었던 말

나에게 상처 주었던 말은 못생겼어, 너무 못해 말 등이 나한테 상처주는 말이다.

왜 내 기분을 망쳐 놓았냐면 '못생겼어'는 내가 제일 싫어하는 말 중 하나이기 때문이다.

'너무 못해'는 나는 못하는 게 많고 잘하는 게 별로 없다. 그래서 나는 이 말을 많이 듣기 때문에 이 말을 들으면 마음에 상처받기 때문이다.

친구들이 나뿐만 아니라 우리반 모두에게 하지 않았으면 좋겠다.

나도 이렇게 실천하겠다.

제4화 최서연 작가의 이야기

1. 바른 청소 교실 수업

바른 청소 교실 수업은 많은 걸 배웠고,
쓰레기 배출하는 것과 교실 청소, 버려진 쓰레기가 다른 물건으로 변한다는 걸 배웠다.
나는 바른 교실 수업을 1번 더 하고 싶은 마음이
들었다. 너무 재미있는 수업이었다.^^

2. 괜찮아.

서준아,

니가 공부를 못해도,

미술을 못해도

니가 사고를 쳐도,

니가 이상해도

“괜찮아.”

니가 축구 대결을 했는데 골을 못 넣고

딴 곳으로 차도 “괜찮아.”

니가 달리기가 느려도 “괜찮아.”

니가 아프면 “빨리 나아.”

3. 누리호 3차 시도 성공!!!!

누리호 3차 시도를 성공했습니다.

우리나라가 많이 발전해서 기뻤습니다.

우리나라가 작지만 강한 나라라는 걸 알게 되었습니다.

누리호 3차가 성공할 줄은 몰랐습니다.

우리나라가 앞으로 더 많이 발전하면 좋겠습니다.

4. 난 이럴 때 기분이 좋아!

어느 날 친한 친구가 이렇게 물었습니다.

"넌 뭐할 때 기분이 좋아?"

잠시 고민한 다음, 나는 이렇게 대답을 했습니다.

"나는 그림 그릴 때가 제일 좋아! 왜냐하면,
그림을 그릴 때는 마음이 편안하고, 시간이 천천히 가는것같은데, 빨리 가. 그래서 나는 그림 그릴 때가 좋아!"

"난 미술 시간이 제일 좋고, 미술학원을 갈 때면 기분이 좋아."

"미술학원에서도 시간이 천천히 가면 좋겠는데, 너무 빨리 가. 그래서 너무 쉽게 끝나는 것 같아!" ^^♡

5. 여름

햇빛이 쨍쨍쨍쨍

매미가 맴맴맴맴

비가 쏴!~쏴!~

장마가 옵니다

바다가 사~~사~~

파도가 옵니다.

식 식! 식 식!

아이들이 재미있게 모래놀이를 합니다^^

6. 나에게 상처가 됐던 말

나에게 상처가 됐던 말.
딱 한 가지 기억에 남아요.
어떤 친구인지는 말할 수 없고,
그 친구가 나 수학을 못 한다고
바보라고 놀렸습니다.
나는 그 말이 상처가 됐습니다.
그때 기분은 내가 수학을 열심히 하고 있었는데,
바보라고 하여 속상했습니다.
그 친구가 앞으로 나에게
상처주는 말을 안 하면 좋겠습니다.

7. 비

아침에 일어났는데

뚝 뚝 뚝 뚝

비가 내린다.

학교에 가려는데

쫘!~

비가 우산을 펼친다.

뚜뚜 두둑

우산 위에 비가 떨어진다.

8. 만들기

가위로 자를 때 싹둑! 싹둑!

테이프는 치익!~

풀은 쓱쓱~

색연필은 싹싹싹싹!

연필을 쓸 때 똑깍 똑깍!

만들기는 재미있다^^

9. 거봐, 우리는 당연히 해 낼 거라고 믿고 있었어!

어느 날 00이와 00이가 미술을 하고 있었습니다.
00이와 00이는 재미있게 하고 있었는데,
00이가 그림을 잘못 그렸습니다.
00이와 00이는 너무 속상해서 고쳐 보려 했습니다.
마침내 그림이 멋있게 고쳐졌습니다.

"거봐, 우리는 당연히 해 낼 거라고 믿고 있었어! "

10. 활판 인쇄 박물관

활판 인쇄 박물관에 갔다.
처음에는 도서관 구경을 했다. 거기에서 내 이름으로 책도 만들고, 도장도 샀다. 도장은 "최서연인"으로 만들었고, 책은 "최서연의 별자리로 읽는 그리스 신화"를 만들었다.
별자리를 알아보면서 그리스 신화를 읽을 수 있는 게 신기하고 특징이 있다고 생각했다.
거기서 했던 활동들이 매우 재미있었다. ^^

11. 방학 숙제 4행시

방: 방학이 끝나간다.

학: 학교가는 날이 다가오고 있다.

숙: 숙제가 너무 많다.

제: 제발 겨울방학엔 숙제가 진자 쪼~금 있었으면 좋겠다.
♡^^♡

12. 서핑

양양으로 서핑을 배우러 갔다!
처음에는 안전교육이랑 이론교육을 했다. 서핑보드에서 노즈, 레일, 테일을 배웠다. 처음에 바다에 들어갈 때 '리쉬'라는 걸 오른발에다 차고, 물에 들어갔다.
서핑에 처음 도전할 때 푸쉬업, 오른발, 왼발, 일어서를 맞춰서 했다. 근데, 한 번에 성공했다.
'서핑이 참 쉬운 건가? 라는 생각을 했다.
내가 바다에 들어갔을 때 파도가 없어서 좀 재미가 없었긴 했지만, 그래도 재미있었다. 다음에는 파도가 좀 있는 날에 다시 오면 좋겠다고 생각했다. ♡^^♡

13. 키자니아♡

키자니아에 갔다. 키자니아는 직업 체험을 하는 곳이다. 오늘 간 게 두 번째였다. 저번에 해본 것 말고, 다른 거를 11개를 체험했다.

체험해 본 것 중에 비행기 조종사가 제일 기억에 남았다. 조종사는 비행하는 게임을 해서 안전하게 돌아오는 게 미션이었다. 나는 안전하게 잘 돌아와서 더 재미있었다.

다음에 2학기에 키자니아로 현장체험학습을 간다고 엄마가 이야기했다. 나는 그때 기분이 좋았다.

다음에 오빠와 둘이 와보겠다는 다짐으로 집으로 돌아왔다.

14. 청도 외갓집

청도에 할아버지, 할머니를 뵈러 다녀왔다.
할아버지께서 풀장을 만들어 놓으시고 기다리고 계셨다.
풀장에서 시원하게 놀고 오빠와 잔디밭에서 배구랑 발야구를 하고 놀았는데 발야구는 오빠랑 계속 싸우면서 했다.
그리고 엄마랑 오빠랑 물총 싸움도 하고, 집 위로 올라가 탁구도 쳤다. 밤에 추어탕을 먹었는데 냄새가 이상했다.
뭔가 담배 냄새가 났다. 신기하게 오빠는 아~주 잘 먹었다.
엄마, 이모가 먹지 말라 그래서 오빠가 배탈이 날 줄 알았는데 안나서 신기했다.

청도는 아주 재미있었고, 할아버지가 다음에 만날 때는 제주도에서 만나자고 하셨다♡

15. 테니스

나는 테니스를 일주일에 토요일에 1번 한다.

30분 간은 선생님한테 테니스를 배우고, 20분간은 스크린 테니스에서 연습한다. 지금까지 포핸드, 백핸드, 서브를 배웠다.

최근에는 엄마, 아빠도 함께 배우기 시작했다.

가을이 되면 야외코트에 나가서 랠리도 해보자고 했다.

나는 서브가 제일 재미있었다.

테니스는 '힘든 거다' 라고 생각했다.

16. 나무를 명하다

우리 학교 꽃과 나무를 알아봐서 좋았고, 우리 학교에 꽃과 나무가 이렇게 많았는지 처음 알게 되었다.
그리고 자기 나무를 정할 때 정말 재미있었다.
나무 이름을 알고 나무판을 칠할 때 재미있어서 기분이 좋았다. 또 밖에 나가서 나무에 걸 때 밖에 나가서 너무 좋았고 재미있었다. 내 나무가 무궁화라서 더 좋았다.

다음에 또 이런 수업을 들으면 좋겠다.

17. 친환경 미래도시

환경을 생각하여 아파트 위에 나무를 심었고 사람들이 바닥에 쓰레기를 버리면 주워주는 로봇을 설치했다. 미래의 자동차는 친환경 원료를 사용하며 날아다닐 수 있는 기능이 있다. 그리고 배달하는 드론이 다니고 바다 위에 병원이랑 학교 등 도시가 생길 것 같다. 미래에는 깨끗한 환경에서 자동차 소음 걱정 없는 도시가 되면 좋겠다.

제6화 피예나 작가의 글

1. 새나의 랜덤 박스

이 책의 내용은 '새나'라는 주인공이 친구 생일선물을 사려고 문방구에 갔다. 친구 선물을 사고 박스만 사면 되는데 사이즈가 맞지 않아 고생하다가 박스를 찾았다. 박스를 꺼내다가 넘어져서 박스가 떨어졌다. 새라는 미안해서 박스를 1개만 사려고 했지만 2개를 샀다. 집에 돌아와서 하트모양 박스를 열어보려고 했는데 열리지 않아 포기했다. 그런데 갑자기 상자가 움직였다.

상자는 자기를 랜덤 박스라고 소개했다. 상자가 새나에게 원하는 걸 말하고 흔들라고 했다. 그래서 새나는 갖고 "옷"이라고 말했는데 새나가 갖고 싶어하는 옷이 나왔다. 하지만 새나가 박스에게 갖고 싶은 걸 얻기위해 10번을 빌면 영혼을 상자에게 뺏긴다는 내용이었다.

정말 무서운 책이다.

2. 도서관 행사

오늘 우리 동네 도서관에서 모기패치와 섬유향수 만드는 행사를 했다. 친구들과 함께 만들었다.

모기패치와 섬유향수 만들기가 어려울 줄 알았는데 생각보다 쉬웠다. 섬유향수는 겨울에는 필요 없어서 생각보다 안 쓸 것 같다. 섬유향수의 향은 베이비 파우더 향이었다. 만들고 나서 팔에 뿌렸는데, 선생님이 맨살에 뿌리면 안된다고 말씀하셔서 바로 화장실로 가서 팔을 씻었다.

정말 재미있었다. 다음에도 도서관에서 만들기를 하고 싶다.

3. 키즈카페

오늘 사촌동생과 키즈카페에서 같이 놀았다. 키즈카페에 사람이 엄청 많았다.

키즈카페에서 가장 재미있었던 것는 '게임존'과 '점프존'이었다 게임 존에는 닌텐도가 가장 재미있었다.

키즈카페에서 가장 재미없던 거는 '노래방'과 '화장존'이었다.(가짜 화장) 노래방은 제한 시간이 있어서 재미없었다. 화장존은 유치해서 재미없었다. 그래도 오랜만에 사촌동생과 놀아서 재미있었다.

다음에는 친구들과 같이 와서 놀아야겠다는 생각을 했다.

4. 계곡

이제 곧 내 생일이라서 외할머니와 계곡으로 놀러갔다. 2박 3일동안 놀았다. 계곡에서 다슬기를 잡으면서 놀았다. 다슬기가 별로 없었다.

'내가 못 찾는 걸까?'라는 생각이 들었다.

저녁에 삼겹살을 먹었다. 내가 좋아하는 구운 김치도 먹었다.

밥을 다 먹고 과자와 아이스크림을 먹었다. 꼬깔콘 안에 설레임을 넣어서 먹었다. 맛있었다.

양치를 하고 잘 준비를 했다.

누워서 핸드폰을 하다가 잠들었다.

재미있었다. 다음에 또 가서 놀고 싶다.

5. 마라탕

친구들과 마라탕을 먹었다.
근데 친구가 매운걸 잘 못 먹어서 1.5단계를 시켜 먹었다. 마라탕이 하나로 안 매웠다. 친구가 다음에는 2단계를 먹자고 했다. 기대된다.
 나는 갑자기 궁금해진다. 2단계가 신라면 정도이고, 3단계가 불닭 정도인데 친구가 불닭도 먹고 신라면도 먹는데 왜 1.5단계를 시켰는지 참 궁금하다.
 마라탕 재료를 고르는 데 매운 걸 잘 못 먹는 친구가 자기가 먹고 싶은 것만 골랐다. 기분이 나빴다. 돈은 1도 안 내면서…….
 마라탕 재료를 골라 계산을 하고 마라탕을 먹었다. 그래도, 정말 맛있었다.
 '나중에 또 와야지'라는 생각이 들었다.
 '다음에는 더 알차게 먹어야지! '

6. 물놀이장

 친구들과 물놀이장을 가서 신나게 놀았다.
물이 좀 많이 튀어서 좀 그랬다. 그래도 물놀이장이니까 물이 좀 튈 수도 있다고 생각했다.
 물놀이장에 샤워기가 있는데 물이 엄청 차가웠다. 친구들이랑 샤워기에서 오래버티기 대결을 했는데 내가 이겼다. 내가 1등, 친구1 2등, 친구2 3등!
 이겨서 행복했다. 물놀이장에서 놀면서 '내가 아는 사람이 있겠지'라고 생각하며 주변을 살펴 보았는데 없어서 아쉬웠다.
 다음에도 다른 친구들이랑 놀러 갈거다.

7. 다육이 심기

오늘 우리 동네 도서관에서 다육이를 심었다.

다육이를 심는 일은 좀 까다로웠다.

굵은 흙을 깔고 그냥 흙을 깔았다. 그 위에 새 모래를 겉에 뿌리고 나서 다시 흙을 깔고 돌을 올렸다. 다육이를 심고 흙으로 덮어주고 색모래로 꾸몄다. 파츠를 색모래 위에 올려놓고 이름까지 지어주니 마무리되었다.

나의 다육이의 이름은 '햄콩'이다.

왜냐하면 내가 전에 키우던 햄스터 이름을 한 글자씩 써서 햄콩이가 됐다. 다육이를 꼭 건강하게 키울 거다.

"햄콩아 건강해! "

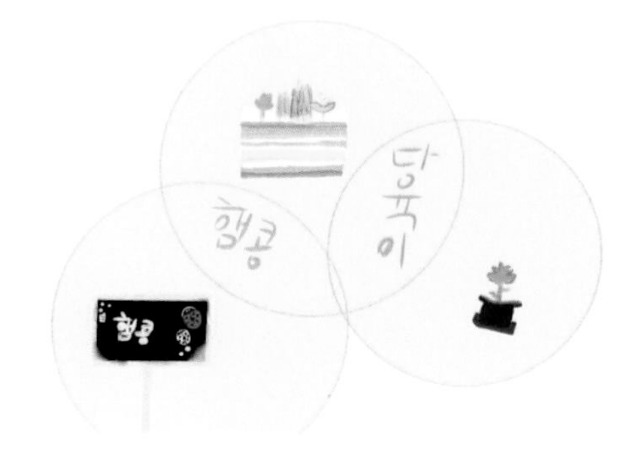

8. 고양이 보은

우리 동네 도서관에서 영화를 봤다.
영화의 제목은 '고양이 보은' 이었다. 처음에는 재미없을 줄 알았는데 보면 볼수록 빠져들었다. 영화의 내용은 하루가 고양이를 구해주고 고양이 왕국으로 잡혀가서 간신히 탈출하는 내용이었다.
이 영화의 주인공은 하루, 바론, 무타, 까마귀였다. 하루가 바론을 잠시 좋아했던 것 같다.
내가 가장 좋아하는 캐릭터는 바론, 무타, 하루다. 까마귀는 하루를 안 도와줘서 싫다. 까마귀가 하루를 도와주면 좋을텐데…
다음에도 다른 영화를 보면 좋겠다.

9. 편지

우빈이 에게

우빈아 안녕?

나 예나야.

우빈아, 우리가 친구 한지 3년 정도 지났지.

그동안 우리가 친구로 지내면서 많은 일이 있었잖아? 나는 그게 '추억'이라고 생각해. 우리는 절교도 하고 또다시 화해 하고를 반복했잖아. 나는 그걸 '추억'이라고 생각해.

앞으로는 싸우지 말고 잘 지내자!

우리 영원히 친구하자!

-예나가-

10. 비온 날

비가온다

달팽이들이 꼬물 꼬물
기어다닌다.

지렁이도 꼬물 꼬물
움직인다.

모든 동물들이
비를 피한다.

나도 피할까?

11. 여름

나는 여름이 싫다.
왜냐하면 여름은 덥고
땀이 많이 나기 때문이다.
그리고 벌레가 많기 때문에 싫다.

하지만 좋은 것도 있다.
아이스크림과 빙수는 좋다.
그리고 여름 방학도 좋다.

12. 친구들

친구들과 놀자

놀자 놀자 놀자 ~

친구들과 술래잡기 하자.

놀자 놀자 놀자 ~

친구들아 놀자

숨바꼭질 하자.

13. 여름 방학 끝

이제
곧 여름방학이
끝 난다.

이제
학교 갈 준비를
해야 한다.

여름방학아 안녕:)

14. 학교가는 날

내일 학교를 간다.

이제 늦잠을 못 잔다.

학교 가기 싫다.

겨울 방학아 빨리 와!!

15. 겨울 방학아 빨리 와!

여름방학이 끝났다.

빨리 겨울방학이 보고 싶다.

겨울방학아 빨리 와!

< 작가의 말 >

송이진 - 내 책이 나온다는 것에 좀 설레었지만 조금은 좀 힘든 것 같았다. 그래도 재미있는 활동이었다.

이루미 - 내 이름으로 책이 나온다니 기분이 좋긴 하지만 글을 쓰는 것이 너무 힘들었다. 그래도 생각보다 재미있고 좋았던 것 같다.

이서율 - 내 이름으로 책이 나오는 것이니까 걱정도 되었다. 그래도 친구들과 함께 하니 좋았다. 힘들고 어려웠지만 그래도 좋았다. 다음에 기회가 된다면 다시 도전하고 싶다!

이시우 - 처음에는 좀 힘들었지만 계속해서 글을 쓰다 보니 재밌었다. 내 이름으로 된 책이 처음으로 나온다니 신기했다.

최서연 - 처음으로 책을 만드려니까 긴장이 됐다.

타자치는 게 제일 힘들었고 손이 너무 아팠다.

그래도 다음에 또 만들고 싶다.

피예나 - 글을 쓰는게 힘들었다.

그래도 책을 만든다는 게 재미있었다.